9 603 KILOMÈTRES
L'Odyssée de deux enfants

Un récit de Stéphane Marchetti
Dessin de Cyrille Pomès

Pour Sacha et Lou.
Merci à tous les enfants qui m'ont confié leurs histoires et dont
le courage m'a profondément marqué.
Merci à Thomas Dandois, Alexis Monchovet, Olivier Boccon-Gibod
et Emmanuel Duparcq.
Merci tout spécial à Mélanie Brelot pour son soutien indéfectible
durant toute l'écriture du scénario.

Stéphane Marchetti

www.futuropolis.fr

Conception et réalisation graphique : Didier Gonord, pour Futuropolis.

© Futuropolis 2020 pour la présente édition.
Droits de traduction, de reproduction et d'adaptation réservés pour tous pays.

Cet ouvrage a été imprimé en mai 2020, sur du papier Oria Neutro de 130 g.
Imprimé et relié chez Edelvives, Ctra Madrid km 315, 7, 50012 Saragosse, Espagne.

Dépôt légal : juin 2020
ISBN : 978-2-7548-2589-4
N° d'édition : 338207
F00131

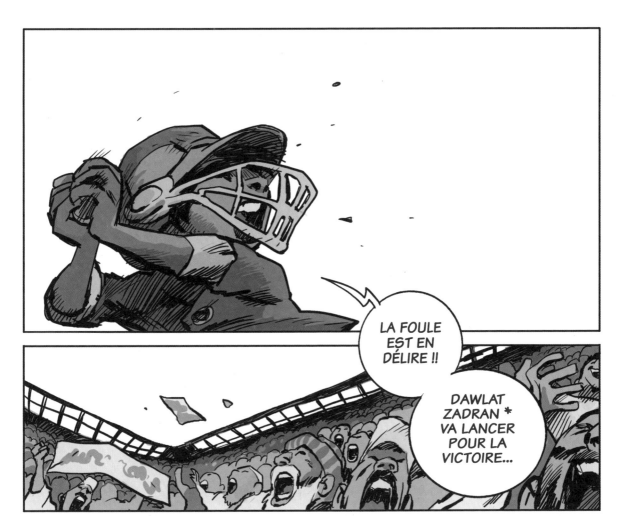

LA FOULE EST EN DÉLIRE !!

DAWLAT ZADRAN * VA LANCER POUR LA VICTOIRE...

S'IL ÉLIMINE LE DERNIER BATTEUR...

... L'AFGHANISTAN SERA CHAMPION DU MONDE DE CRICKET POUR LA PREMIÈRE FOIS !

ET MOI JE SUIS MOHAMMAD SHAHZAD * !

ET TA BALLE, T'IRAS LA CHERCHER AU PAKISTAN !!

*JOUEURS DE CRICKET AFGHAN

PROVINCE DE KHOST, SUD-EST DE L'AFGHANISTAN. FIN DE L'ÉTÉ 2014.

OH ADIL TU LANCES ?!

ÇA FAIT DES HEURES...

DAWLAT ZADRAN SE CONCENTRE...

IL REGARDE LE PUBLIC QUI L'ENCOURAGE, IL S'AV...

... DAWLAT ZADRAN IL VA PRENDRE MON PIED AU CUL !

LANCE !!

ÇA VA RAFI ! ON A ATTENDU UNE HEURE QUAND BALOO ALLAIT PISSER !!

C'EST MÊME PAS VRAI...

ON S'EN FOUT, JOUEZ !!

SI, C'EST VRAI !

ABRUTI.

T'AS DIT QUOI ?

C'ÉTAIT VERS LE MARCHÉ DE MUSIQUE...

Y A PLEIN DE MONDE À CETTE HEURE-CI.

UN DRONE ?

PEUT-ÊTRE UN KAMI-KAZE...

JE SAIS PAS.

SHAFI, TON PÈRE... IL TRAVAILLAIT PAS LÀ-BAS AUJOURD'HUI ?

SI.

J'Y VAIS.

FAUT PAS Y ALLER, COUSIN !

C'EST DANGEREUX !

SHAFI !!

NAZEEEM...

ÇA VA ALLER, MADAME ?... VOUS CHERCHEZ QUELQU'UN ?

NA ZEM...

MON FILS.

IL EST HABILLÉ COMMENT ?

UN PULL ROUGE, ET DES SANDALES...

TOUTES NEUVES... IL A DIX ANS.

IL A DÛ SE CACHER.

JE VAIS VOIR SI JE LE TROUVE.

DONNE !

NAN !!

ALLEZ, ALLEZ, TOUT LE MONDE DEHORS ! IL FAIT BEAU, NE RESTEZ PAS À L'INTÉRIEUR !

ALLEZ ADIL, PLUS VITE QUE ÇA ! ET PUIS TIENS, VA SERVIR LE THÉ.

TON PÈRE EST FATIGUÉ DEPUIS QUELQUES JOURS, ÇA LUI FERA PLAISIR QUE TU LUI APPORTES... ET PUIS METS UN PULL, IL FAIT FRAIS DEHORS.

C'EST BON MAMAN !

CHUIS PLUS UN BÉBÉ !

DEUX MOIS PLUS TARD.

KUNZAR.

LE FRÈRE DE PAPA.

TU SAIS QUI JE SUIS, ADIL ?

J'AI ÉPOUSÉ TA MÈRE.

ELLE EST MA FEMME, MAINTE-NANT.

TU VAS PARTIR ÉTUDIER DANS UNE MADRASSA.

LÀ-BAS...

... ON FERA DE TOI UN BON MUSULM...

ET MAMAN ?

ELLE RESTE ICI.

AVEC MOI.

NON, JE VEUX PAS !!

ASSIEDS-TOI.

T'AS PAS LE DROIT !!!

... MAIS LE TEMPS OÙ NOUS VAINCRONS EST BIENTÔT ARRIVÉ !

ALLAH LE TOUT-PUISSANT A DIT :

VOUS DEVEZ FAIRE LE JIHAD POUR TUER TOUS LES ENNEMIS DE DIEU !

TUER TOUS LES INFIDÈLES !

LES PORTES DU PARADIS S'OUVRIRONT POUR VOUS ET TOUTE VOTRE FAMILLE !

MOURIR EN MARTYR POUR NOTRE PAYS EST UN HONNEUR !

ALLAH AKBAR !!

ALLAH AKBAR !!

VOUS REMPLISSEZ LE CHARGEUR AVEC LES BALLES.

ALLAH AKBAR !!

VOUS LE REMETTEZ DANS LA CROSSE.

VOUS ARMEZ ICI ET C'EST PRÊT À TIRER.

ADIL !

MONTRE-NOUS CE QUE TU SAIS FAIRE.

AU PARADIS...

... LE MIEL COULE À FLOTS DANS LES RIVIÈRES.

PARTOUT...

... IL Y A DES JEUNES VIERGES AUX YEUX NOIRS ET À LA PEAU DE LAIT...

POUR L'ÉTERNITÉ !

ELLES SERONT À VOUS...

ADIL, TON PÈRE VA ÊTRE FIER DE TOI.

TU GARDES LE DÉTONATEUR DANS TA MAIN.

TU MARCHES NORMALEMENT ET TU NE PARLES À PERSONNE, OK ?

RHABILLE-TOI.

ON VA TE DÉPOSER SUR LE MARCHÉ.

LÀ-BAS, IL Y A LE COMMISSARIAT DE CES CHIENS D'INFIDÈLES DE L'ALP *.

* AFGHAN LOCAL POLICE – POLICE AFGHANE LOCALE FINANCÉE ET ENTRAÎNÉE PAR LES USA POUR LUTTER CONTRE LES TALIBANS.

« À 15 HEURES TU LES VERRAS SORTIR AVEC LEUR CHEF. ALORS, TU SAURAS QUE C'EST LE MOMENT. »

« NE ME DÉÇOIS PAS ADIL... »

«... OU JE TE TRANCHERAI LA TÊTE MOI-MÊME. »

HEY TOI !

QU'EST-CE QUE T'AS DANS LA MAIN ?

LÀ !!

IL A UNE CEINTURE D'EXPLOSIFS !!

ARRÊ-TEZ-LE !!!

PAR ICI !

MERDE.

PUTAIN DE TALIBANS !

BANDE DE RATS.

T'ES SÛR QU'IL AVAIT UNE CEINTURE ?

J'EN SUIS SÛR.

ON DEVRAIT TOUS ÊTRE MORTS.

S'IL RETROUVE ADIL, KUNZAR LE TUERA...

... PUIS IL S'OCCUPERA DE TOI, DES JUMEAUX ET DE NOUS TOUS, UN PAR UN...

JUSQU'AU DERNIER MEMBRE DE CETTE FAMILLE !

CHEZ LES ZADRAN, ON A PAS BEAUCOUP DE PITIÉ.

ALORS TUE-LE !

IL A VOULU FAIRE D'ADIL UNE BOMBE HUMAINE, IL...

UN MORT APPELLE UN MORT !

SON CLAN VOUDRA SE VENGER, ÇA SERA SANS FIN...

ADIL DOIT QUITTER RAPIDEMENT LE PAYS.

POUR ALLER OÙ ?

REJOINDRE MON FILS MOHAMMED EN ANGLETERRE.

EN TOUTE SÉCURITÉ ?

CES PASSEURS SONT DES SALES VOLEURS !

TAIS-TOI ! TU PARLES TROP !

SI TU ÉTAIS MA SŒUR

... TU NE SERAIS MÊME PAS DANS CETTE PIÈCE !

ZEINA...

TU VEUX ENTERRER TON FILS APRÈS TON MARI ? C'EST ÇA ?

MA DÉCISION EST PRISE.

NOUS AUTRES, IL NOUS FAUDRA FUIR À JALALABAD.

LÀ-BAS, ON A PEUT-ÊTRE UNE CHANCE D'ÉCHAPPER À KUNZAR.

ADIL POURRAIT VENIR AVEC NOUS...

EN ANGLE-TERRE...

... ILS AURONT UNE NOUVELLE CHANCE, LOIN DE CETTE FOLIE.

POUR QUOI FAIRE ?

IL N'Y A PLUS D'AVENIR DANS CE PAYS POUR NOS ENFANTS...

POURQUOI ON DOIT PARTIR, SHAFI ?

MOI JE VEUX PAS QUITTER MAMAN ENCORE UNE FOIS.

POURQUOI ??

TON ONCLE TE TUERA S'IL T'ATTRAPE...

... QU'EST-CE QUI T'ÉCHAPPE LÀ-DEDANS ?

MOI, JE SUIS PRÊT À TOUT POUR QUITTER CE TROU.

ET T'AIMES QUOI ICI ?

DAESH ?

LES TALIBANS ??

IL N'Y A QUE LA GUERRE ICI...

ET MOI JE VEUX VIVRE ICI AVEC MAMAN.

AH OUAIS ?

EN ANGLETERRE, ON POURRA GAGNER PLEIN D'ARGENT !

ON POURRA S'ACHETER DES BEAUX VÊTEMENTS !

TU RÊVES COUSIN !

PFF...

COMBIEN DE TEMPS ON VA METTRE POUR ALLER EN ANGLETERRE ?

JE SAIS PAS TROP.

QUELQUES JOURS ?

JE SAIS MÊME PAS OÙ C'EST, L'ANGLE-TERRE !

ET COMMENT ON VA MANGER PENDANT LE VOYAGE ?

LES PASSEURS AURONT DE LA NOURRITURE POUR NOUS.

MAMAN DIT QUE LES PASSEURS SONT DANGEREUX...

T'INQUIÈTE PAS, JE SUIS LÀ, MOI !

CELUI QUI NOUS EMMERDE...

... JE LUI ÉCLATE LA GUEULE À COUPS DE BATTE !

WOW

BLAM

SHAFI ! ADIL ! VENEZ !

IL FAUT PARTIR.

AH

AHAHA HAHA

C'EST QUI ?

SHAFI ?

C'EST QUI ?

LE PASSEUR.

QUE DIEU SOIT AVEC VOUS, BONNE CHANCE LES ENFANTS.

PUTAIN ARSHAD, T'ES VRAIMENT UNE MERDE !

ÇA FAIT DES HEURES QU'ON T'ATTEND !!

T'AS DE LA CHANCE D'ÊTRE LE COUSIN D'ALAA....

ALLEZ SORTEZ DE LÀ, VOUS DEUX !

HÉ !

LÂCHE-M...

CLIC

WOOF

ON A PAS TOUTE LA NUIT...

... VU ?

ET TOI, MAGNE-TOI DE SORTIR AUSSI !

PAR ICI.

DE L'EAU, S'IL VOUS PLAÎT...

ALLEZ !

LE PROCHAIN QUI L'OUVRE JE LUI EN COLLE UNE !

PIGÉ, LES BOUSEUX ?

FRONTIÈRE ENTRE LE PAKISTAN ET L'IRAN.

H

ALLEZ COUSIN, ON PEUT PAS S'ARRÊTER...

J'EN PEUX PLUS SHAFI, ÇA FAIT DES HEURES QU'ON MARCHE.

MES PIEDS...

BLEUAR !!

... ILS VEULENT PLUS AVANCER...

COURAGE, ON VA S'ARRÊTER...

J'AI MAL !

... BIENTÔT.

34

...QUAND ILS ONT SU QUE MON PÈRE TRAVAILLAIT POUR LE GOUVERNEMENT...

... TROIS HOMMES ONT DÉBARQUÉ CHEZ NOUS UN SOIR.

C'ÉTAIT LES TALIBANS, DAOUD ?

NON, DAESH...

ILS ONT TUÉ MON PÈRE, MA MÈRE ET MON PETIT FRÈRE.

MOI, MA MÈRE M'AVAIT ENVOYÉ CHERCHER DU RIZ...

BILAL DEVAIT AVOIR LE MÊME ÂGE QUE TOI, ONZE ANS.

MOI J'AI DOUZE ANS ! ET TOI ?

SEIZE ANS, JE CROIS.

TU VAS OÙ ?

SI JE SORS D'IRAN... N'IMPORTE OÙ EN EUROPE !

MAIS PERSONNE NE M'ATTEND LÀ-BAS. PERSONNE M'ATTEND NULLE PART.

J'AIMERAIS JUSTE TROUVER UN ENDROIT OÙ IL Y A LA MER...

JE L'AI JAMAIS VUE.

PRENDRE SOIN DE TES PIEDS, C'EST LE PLUS IMPORTANT.

METS ÇA.

CE SERA MIEUX QUAND IL FAUDRA COURIR.

ELLES SONT TROP GRANDES...

METS DES CHAUSSETTES EN BOULE À L'INTÉRIEUR, POUR CALER.

T'AS PAS DE CHAUSSETTES NON PLUS ?

C'EST MIEUX AVEC LE JOURNAL ?

OUI, MERCI !

* VÊTEMENTS TRADITIONNELS AFGHANS.

IL EST CACHÉ OÙ ?

VRRK

CACHEZ-LE DANS DIFFÉRENTS ENDROITS...

... SI JAMAIS VOUS VOUS FAITES ARRÊTER OU KIDNAPPER.

COMME SI J'ALLAIS TE LE DIRE...

KIDNAPPER ??

MAIS COMMENT TU SAIS TOUT ÇA, TOI ?

C'EST LA TROISIÈME FOIS QUE JE TENTE MA CHANCE.

ET...

... IL S'EST PASSÉ QUOI LES DEUX PREMIÈRES FOIS ?

C'EST PAS IMPORTANT.

ALLEZ « PETITS PIEDS GRANDES CHAUSSURES » !!

MÉNAGE TON SOUFFLE, LA ROUTE EST ENCORE LONGUE !

FRONTIÈRE IRAN / TURQUIE. DEUX SEMAINES PLUS TARD.

UN OU DEUX JOURS, ILS ONT DIT !

ÇA FAIT **DIX JOURS** QU'ON EST LÀ !

OUAIS, DIX JOURS DANS CETTE BARAQUE POURRIE !

AVEC LES PASSEURS C'EST TOUJOURS « DEMAIN » !

« DEMAIN ON AMÈNE À MANGER »...

« DEMAIN ON VIENT VOUS CHERCHER »...

ET **RIEN !!**

GRLLRLL

J'AI FAIM.

44

J'EN PEUX PLUS !

FAUT QUE JE PRENNE L'AIR !

FAIS PAS ÇA...

IL Y A DES FLICS PARTOUT DEHORS.

DANS UNE HEURE IL FERA NUIT, ON POURRA SORTIR.

SORTIR ??

ON AURA LE DROIT D'ALLER PISSER OUAIS !!

J'AI PAS PEUR DES FLICS MOI !

TU FERAS MOINS LE MALIN QUAND ILS T'ARRÊTERONT.

REPOSE-TOI SHAFI,

T'AURAS PAS TROP DE FORCES POUR PASSER EN TURQUIE.

TU SAIS TOUJOURS TOUT SUR TOUT TOI, HEIN...

TOI

ET TOI

TOI-
LETTES !

IL JOUE À QUOI VOTRE AMI ?

IL VEUT UN TRAITEMENT DE FAVEUR ?

ON EST TOUS DANS LA MERDE ICI !

TU DEVRAIS PAS TRAÎNER AVEC EUX.

JE T'AI RIEN DEMANDÉ !

M'EM-MERDE PAS.

LE DERNIER QUI M'A DIT ÇA...

C'ÉTAIT CE TARÉ DE KUNZAR...

BÊÊ

JE SUIS PAS TRÈS COURAGEUX POUR UN PACHTOUNE...

QUAND J'ÉTAIS À LA MADRASSA, ILS ONT DIT À MON COPAIN FAWAD QUE C'ÉTAIT LE MOMENT DE DEVENIR MARTYR.

IL A REFUSÉ.

ALORS ILS L'ONT FRAPPÉ DEVANT NOUS.

APRÈS ÇA IL NE MARCHAIT PLUS DU TOUT...

J'AI EU PEUR...

... ALORS J'AI FAIT TOUT CE QU'ILS ME DEMAN-DAIENT.

HÉ.

IL FAUT CONNAÎTRE LA PEUR POUR AVOIR DU COURAGE.

CHTUK
CHTUK

ADIL !
SHAFI !

ICI !

DAOUD
!!

HALTE !

ALLEZ !!

CHTUK
CHTU

MA
CASQUETTE
!!

ON
S'EN
FOUT !

NON !

NORD DE LA MACÉDOINE.

HMM...

UN NAAN * BIEN CHAUD QUI SORT DU FOUR...

COMME CEUX DU PÈRE À BALOO !

LES ASCHAK ** DE MA MÈRE ! ÇA SENT LE CUMIN ET LA CORIANDRE DANS TOUTE LA MAISON QUAND ELLE CUISINE...

ÇA SENT TROP BON !

TU M'EN DONNES ?

MMM

AAAH

C'EST DÉGUEU-LASSE.

VOUS ÊTES SÛRS QUE ÇA SE MANGE ?

* GALETTE DE PAIN. ** SORTE DE RAVIOLIS AFGHANS.

SI ÇA POUSSE DANS LE SOL ÇA DOIT SE MANGER...

... COMME DES LÉGUMES.

ON N'A PAS CROISÉ DE VILLAGE DEPUIS DEUX JOURS...

JE SAIS PAS VOUS, MAIS MOI JE BOUFFERAIS N'IMPORTE QUOI...

MM

BON.

ON DOIT TROUVER LA VOIE FERRÉE DEMAIN SI ON VEUT SORTIR DE CETTE FORÊT.

ON AURAIT DÛ ACHETER PLUS À MANGER...

HA HA HA HA

LA VOIE FERRÉE, ELLE VA DIRECTEMENT EN SERBIE.

KRAAK

C'EST QUOI CES BRUITS ?

CHAIS PAS, DES ANIMAUX...

FAUT DORMIR, MAINTENANT.

ON VA PLUS ÊTRE SEULS TRÈS LONGTEMPS...

ILS AURONT PEUT-ÊTRE UN PEU DE BOUFFE À NOUS FILER !

C'EST BIZARRE, ILS ONT PAS L'AIR...

... COMME NOUS.

JE LE SENS PAS.

FAUT PAS RESTER LÀ...

VENEZ, ON SE CASSE !!

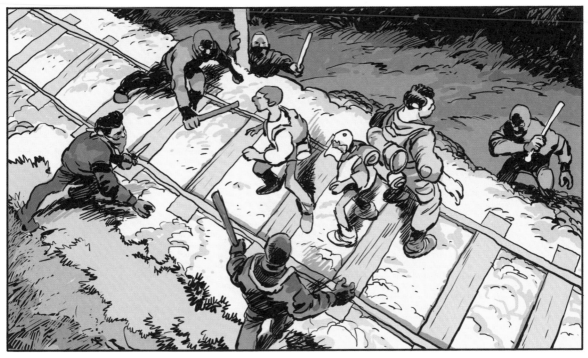

CE SERAIT PAS ARRIVÉ AVEC DES PASSEURS...

T'ES SÉRIEUX ?

TU CROIS QU'AVEC DES PASSEURS ON SE SERAIT FAIT AGRESSER DANS CE PAYS DE MERDE ?

ET TU CROIS QU'ILS TE L'AURAIENT FAIT TRAVERSER GRATOS, CE « PAYS DE MERDE », TES PASSEURS ??

ÇA SERT À RIEN DE DISCUTER AVEC TOI !

POUR LE TÉLÉPHONE ET LES CHAUSSURES, ON EST FOUTUS.

POUR L'ARGENT...

HA HA HA HA

130 DOLLARS LES MECS ! ON EST RICHES !!

J'Y CROIS PAS...

MERCI LA TURQUIE !

POUR UNE FOIS QUE TU FAIS QUELQUE CHOSE POUR NOUS !

RESTE PLUS QU'À RETROUVER DES CHAUS- SURES...

FRONTIÈRE SERBIE / HONGRIE. UNE SEMAINE PLUS TARD.

... CONTINUER SUR 500 MÈTRES ENVIRON, ON VA TROUVER UNE PETITE RIVIÈRE ...

ET DERRIÈRE, C'EST LA HONGRIE.

C'EST PAS BON, LA HONGRIE...TU TE FAIS CHOPER LÀ-BAS, TU TE RETROUVES DIRECT ENFERMÉ DANS UN CAMP...

C'EST VRAI ! ILS PRENNENT TES EMPREINTES ET TU RESTES BLOQUÉ LÀ-BAS...

ET LA CROATIE ?

SUR FACEBOOK DES MECS DISENT QUE LA ROUTE EST PLUS SÛRE. C'EST PAS TRÈS LOIN...

MES ENFANTS SONT ÉPUISÉS...

ÇA FAIT AU MOINS UNE JOURNÉE DE MARCHE EN PLUS !

CHACUN FAIT COMME IL VEUT !

MOI JE VAIS LÀ-BAS !

JE PENSE QUE C'EST UNE CONNERIE...

NOUS AUSSI, ON VA EN HONGRIE.

LA HONGRIE, C'EST L'EUROPE !

Y A PLUS DE FRONTIÈRE APRÈS !

ON PEUT ALLER OÙ ON VEUT !!

POUR ALLER EN ANGLETERRE, IL EN RESTERA UNE...

PUTAIN SI T'ES PAS CONTENT, CASSE-TOI !!

MAIS ARRÊTE DE NOUS EMMERDER !!!

ET DEPUIS QUAND TU DÉCIDES POUR TOUT LE MONDE, TOI ?

POUR NOUS DEUX, LE CHEF C'EST MOI !

ARRÊTEZ !!

Y EN A MARRE !

PERSONNE NE COMMANDE PERSONNE ! ON A BESOIN DE TOUT LE MONDE POUR Y ARRIVER, ET VOUS

... VOUS VOUS ENGUEULEZ COMME DES GAMINS !

SHAFI A RAISON POUR LA HONGRIE... ÇA FAIT DES JOURS QUE L'ON MARCHE...

ON DOIT AVANCER...

BEN QUOI ?

VOUS VENEZ ??

Y A PERSONNE !!

ON Y VA !!

JUNGLE DE CALAIS.
TROIS MOIS PLUS TARD.
AUTOMNE 2015.

DAOUD !

PLUS AUCUN BRUIT À PARTIR DE MAINTENANT !

C'EST LE TERRITOIRE DES PASSEURS, ICI.

LES PASSEURS SAVENT TRÈS BIEN QUI A PAYÉ OU NON POUR PASSER !

ICI PERSONNE N'A D'ARGENT POUR LES PAYER.

SI T'AS UNE AUTRE SOLUTION VAS-Y, DONNE-LA !

JE SAIS OÙ ILS VONT BLOQUER L'AUTOROUTE. ON SE CACHE À CÔTÉ ET QUAND LES CAMIONS SONT ARRÊTÉS...

ON MONTE NOUS AUSSI... OK ?

T'ES SÛR DE TOI, MON AMI ? J'AI PAS ENVIE DE PRENDRE UN COUP DE COUTEAU, MOI !

MOI JE VAIS PAS ATTENDRE QUE LA REINE D'ANGLETERRE VIENNE ME CHERCHER !

UNE FOIS DANS LE CAMION, LES PASSEURS C'EST PLUS UN PROBLÈME !

CETTE NUIT, SI DIEU LE VEUT, NOUS SERONS EN ANGLETERRE.

ON Y VA !

BORDEL !!

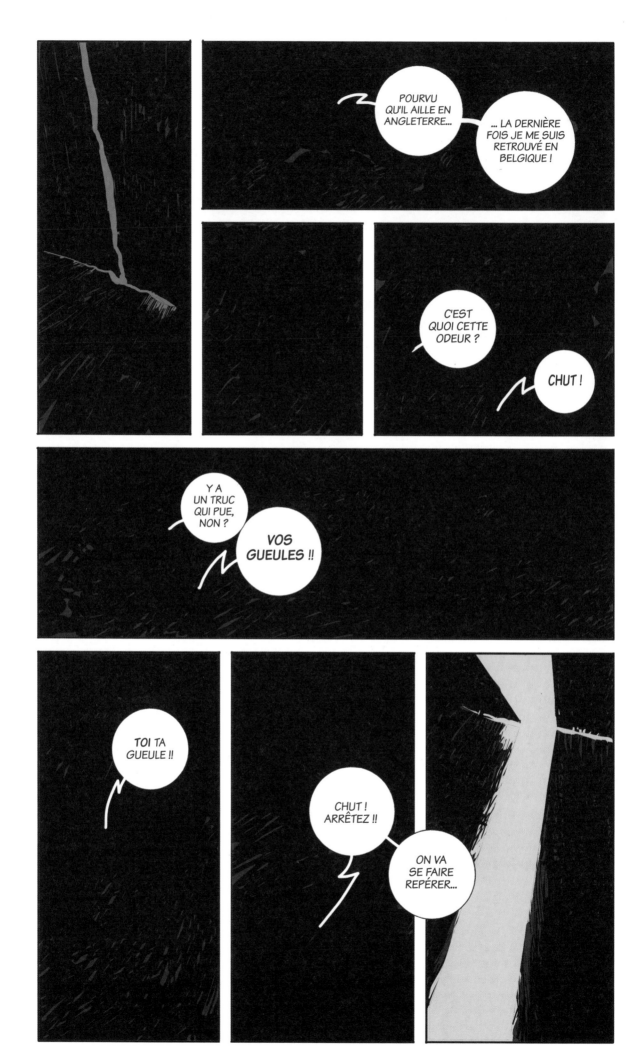

QUELQUES JOURS PLUS TARD.

FRKT

TIENS, FAROQ, PRENDS CELUI-CI...

... ON L'AVAIT GARDÉ SOUS LA TENTE.

TU SAIS OÙ EST DAOUD ?

JE L'AI PAS VU...

IL EST PARTI AU COURS DE FRANÇAIS.

OH !

MERSI BOKU !

GE MAPEL ?

GE MAPEL FAROQ.

AH HA AH AH HA HA

ÇA FAIT TROIS JOURS QU'ON A PAS MANGÉ CHAUD !

VA RÉVEILLER LES AUTRES...

... C'EST L'HEURE DE MANGER.

HEY CUISTOT !!!

PRÉPARE-MOI UN « KABULI PALAW », ET QUE ÇA SAUTE !

J'AI FAIM !

81

AU TOTAL ...

... JE SAIS PAS COMBIEN DE TEMPS JE SUIS RESTÉ DANS CE CAMP.

UN MOIS PEUT-ÊTRE ?

PAR ICI...

PITIÉ !

À BOIRE...

ILS NOUS DONNAIENT DE LA BOUFFE COMME À DES CHIENS...

... ON SE BATTAIT TOUT LE TEMPS...

INTERDICTION DE SORTIR.

MAIS UNE NUIT J'AI RÉUSSI À M'ÉCHAPPER.

PAS LONGTEMPS.

LES FLICS M'ONT RATTRAPÉ VITE FAIT.

CES BÂTARDS M'ONT RENVOYÉ EN SERBIE, J'ÉTAIS DÉGOÛTÉ.

ET APRÈS ?

T'AS FAIT COMMENT ?

J'AI REN-CONTRÉ DES GARS...

JE LEUR AI FILÉ DES COUPS DE MAIN ET ILS M'ONT AIDÉ POUR VENIR ICI...

ON EST PRESQUE ARRIVÉS...

REGARDE !

ON PEUT TOUCHER L'ANGLETERRE AVEC LA MAIN !

DIEU VA PEUT-ÊTRE FAIRE UN MIRACLE COMME POUR MOÏSE !

IL VA OUVRIR LA MER EN DEUX ET ON POURRA TRAVERSER À PIED !

TCHAK

MOUAIS

DIEU IL S'EN FOUT UN PEU DE NOUS, DEPUIS QU'ON EST PARTIS.

MOI TOUT CE QUE JE VEUX, C'EST FINIR CE VOYAGE.

EN ANGLETERRE, JE POURRAI FAIRE VENIR MAMAN ET LES JUMEAUX. ILS SERONT EN SÉCURITÉ.

ET IL EST PASSÉ OÙ, LE BÉBÉ QUI AVAIT PEUR DE TOUT ?

JE SUIS PACHTOUNE

... J'AI PEUR DE RIEN !

ON SERA BIENTÔT AVEC MOHAMMED, INCH'ALLAH !

IL A DES PAPIERS ANGLAIS, IL VA NOUS AIDER À PASSER !

COMMENT ?

ÇA FAIT DES SEMAINES QU'ON EST BLOQUÉS ICI...

ON EST DE SA FAMILLE, ON A DROIT DE LE REJOINDRE !

ET SI ÇA MARCHE PAS ?

FRKT

J'AI UN PLAN.

DES GENS QUE JE CONNAIS POURRONT NOUS AIDER.

DES GENS, HEIN.

OUAIS, DES GENS.

TU VEUX FUMER ?

TU FUMES DE LA DROGUE MAINTENANT ?

TOUS LES ADULTES EN FUMENT...

ADIL !!

Y EN A QUI TE PROMETTENT DE T'AIDER À PASSER EN ANGLETERRE SI T'ES...

... GENTIL AVEC EUX...

QU'EST-CE QUI S'EST PASSÉ ADIL ?

MAIS ILS PROFITENT DE TOI, C'EST TOUT.

DIS-MOI !

TU SORS PAS SEUL LA NUIT, OK ?

VIENS, JE VAIS TE PRÉSENTER LES AUTRES.

MOHAMMED, MÊME TOI T'ES ARRIVÉ EN ANGLETERRE PLANQUÉ DANS UN CAMION !

MAIS ÇA FAIT DES SEMAINES QUE J'ATTENDS !

JE SUIS FATIGUÉ...

TROP DANGEREUX ? SANS BLAGUE ?

NON !!

C'EST COMME D'HABITUDE, JE VAIS ME DÉBROUILLER TOUT SEUL !!

SHAFI !

HEY SHAFI VIENS JOUER !

SHAFI ?

JE REVIENS !

TU FAIS QUOI ?

ÇA JOUE LÀ !!

?

TU FAIS QUOI AVEC CES MECS ?

ON PARLE, C'EST TOUT.

C'EST JUSTE DES GARS QUI BOSSENT À LA DISTRIBUTION DE BOUFFE.

TU TE FOUS DE MOI ?!? TOUT LE MONDE SAIT QUE C'EST DES **PASSEURS**, SHAFI !

HÉ !

ET ALORS ?

ET ALORS ILS SONT DANGEREUX !!

TU FAIS QUOI AVEC EUX ?

MON FRÈRE ARRIVE PAS À ME FAIRE PASSER EN ANGLETERRE !

ET ON A PLUS D'ARGENT POUR LES PAYER !

ALORS C'EST ÇA TON PLAN ?

BOSSER POUR DES PASSEURS ??

ADIL, J'AI UNE TAZKIRA *, MON FRÈRE A DES PAPIERS ANGLAIS ET J'ARRIVE PAS À PASSER !

ALORS COMMENT TU CROIS Y ARRIVER, TOI, SANS PAPIERS ET SANS FAMILLE SUR PLACE ?

JE FAIS ÇA POUR NOUS DEUX...

MAIS TU CROIS QUOI ?!

ÇA FAIT DES MOIS QUE JE ME DÉBROUILLE SANS TOI !

TU VAS FAIRE LE LARBIN POUR EUX ET QUAND ILS AURONT PLUS BESOIN DE TOI...

... ILS TE JETTERONT COMME UNE MERDE !

TU DIS N'IMPORTE QUOI !

TU SAIS QUE C'EST VRAI !

ARRÊTE ! DEPUIS QU'ON EST PARTIS ON NOUS TRAITE COMME DE LA MERDE !

AU MOINS LES PASSEURS ILS SONT RESPECTÉS, ILS ME RESPECTENT !

T'ES PAS SÉRIEUX ?? TU CROIS QU'ILS EN ONT QUELQUE CHOSE À FOUTRE DE TOI ?

TAIS-TOI À LA FIN ! T'ES QU'UN GAMIN !!

JE SAIS MÊME PAS POURQUOI JE T'ÉCOUTE !

* PIÈCE D'IDENTITÉ AFGHANE

JUNGLE DE CALAIS. HIVER 2015.

SUIVEZ-MOI.

C'EST LOIN, TU CROIS ?

JE SAIS PAS, SAMI.

CHUT !

ALLEZ SAMI, N'AIE PAS PEUR...

... TU VAS Y ARRIVER.

AH !

SPLOF

MON PIED, IL EST MOUILLÉ !

T'INQUIÈTE PAS, ÇA VA SÉCHER.

PAS DE PROBLÈME ?

NON.

C'EST BON. RETOURNE AU CAMP.

EN VOITURE, LES GOSSES.

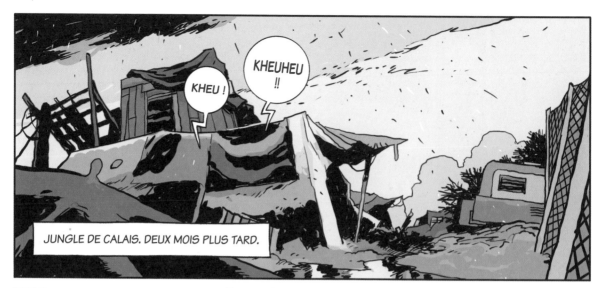

JUNGLE DE CALAIS. DEUX MOIS PLUS TARD.

100

QU'EST-CE QUI SE PASSE ??

UNE BOUTEILLE DE GAZ A EXPLOSÉ CHEZ LES VOISINS...

FAROQ !

SHAFI EST ENCORE DEDANS...

ADIL...

PAR DERRIÈRE !!

SHAFI ! SHAFI ON ARRIVE !!

RÉPONDS-MOI !

SHRAK

POUSSEZ-VOUS !!

KHOF

KHOF

AH PUTAIN...

PUTAIN !!

C'EST ÇA NOTRE FUTURE VIE ? TOUT BRÛLE...

TOUT LE MONDE S'EN FOUT DE NOUS...

ON NOUS LAISSE CREVER...

SHAFI...

QUOI SHAFI ??

OUVREZ LES YEUX !!

REGARDE TON VÉLO ADIL, IL BRÛLE !

TES CAHIERS DE FRANÇAIS DAOUD ? ILS BRÛLENT !!

ON A PLUS QUE LES VÊTEMENTS QU'ON PORTE !

JE RESTE PAS ICI !!

JE NE VAIS PLUS EN ANGLETERRE.

QUOI ?

MAIS POURQUOI ??

QU'EST-CE QUE J'IRAIS FAIRE LÀ-BAS ?

J'AI PERSONNE QUI M'ATTEND.

TU M'AS MOI !

T'ES MA FAMILLE !!

TOI, C'EST TON DESTIN QUI T'ATTEND LÀ-BAS !

UNE NOUVELLE VIE AVEC SHAFI, AVEC MOHAMMED !

MOI, JE SUIS FATIGUÉ DE COURIR POUR ALLER NULLE PART...

JE VAIS TENTER MA CHANCE ICI...

COMMENT JE VAIS FAIRE SANS TOI ?

NE REGARDE PAS DERRIÈRE, CONTINUE D'AVANCER.

SI HAUTE SOIT LA MONTAGNE...

... ON Y TROUVE TOUJOURS UN SENTIER.

JE VEUX PAS QUE TU PARTES...

UN BUS PART DEMAIN POUR UN CENTRE OÙ JE POURRAI DEMANDER L'ASILE. C'EST DANS LE SUD DE LA FRANCE, IL Y A LA MER LÀ-BAS...

IL Y A AUSSI LA MER EN ANGLETERRE !

ELLE EST TROP FROIDE !!

FAIS ATTENTION À TOI « PETITS PIEDS GRANDES CHAUSSURES » !

ON SE RECROISERA, INCH'ALLAH...

SHAFI !

KHEU-HEU

KHEU

QU'EST-CE QUE TU FOUS LÀ ?

JE PEUX PAS TE LAISSER Y ALLER SEUL...

QUI VA S'OCCUPER DE TOI ?

KHEU

KHOF

KHEU

KR

KHEUHEU

KHEU

TIENS, PRENDS MON BLOUSON

... IL EST PLUS CHAUD.

WE.R.NOT ANIMALS TO LIVE IN THE FORESTS

PASSE-MOI TA VESTE.

MERCI.

HA HA

HA

HA

MERDE !

ELLE S'OUVRE PAS !!

GRIMPEZ SUR LE TOIT !

MAINTE-NANT !!

PASSE-MOI TA VESTE.

TON NOM...

C'EST BIEN SHAFI ZAHEER ?

ET TU VIENS DU VILLAGE DE BARIC...

C'EST ÇA ?

UI.

GARE DE ST. PANCRAS -
LONDRES

HEY !
SHAF...

JE VOULAIS FAIRE VENIR MAMAN EN ANGLE-TERRE...

TA MÈRE ELLE CROIT QUE TU ES MORT !

BORDEL !!

POUR LES ANGLAIS T'ES SHAFI, MON FRÈRE !

COMMENT TU VAS FAIRE VENIR TA MÈRE, MAINTENANT ? T'AS PAS RÉFLÉCHI À ÇA ??

TA MÈRE EST AU PAKISTAN. KUNZAR, TON ONCLE, IL LES A RETROUVÉS.

ALORS ILS ONT DÛ SE SÉPARER AVEC MES PARENTS.

MAIS COMMENT ?

JE SAIS PAS, ADIL.

FAUT DÉJÀ QUE JE PRÉVIENNE MES PARENTS, ET QUE J'AILLE BOSSER.

TU PEUX RESTER ICI QUELQUES JOURS.

APRÈS ÇA...

« ... IL FAUDRA QUE TU TROUVES UNE AUTRE SOLUTION. »

BRIGHTON – SUD DE L'ANGLETERRE.
SIX MOIS PLUS TARD.

ADIL ?!

FAROQ...

... le train venait de quitter la gare de Crawley...

...quand le jeune homme a sorti un couteau pour agresser sa première victime...

... bilan provisoire de un mort et de quatre blessés...

... dont deux dans un état critique.

QU'EST-CE QUI SE PASSE ?

UN HOMME A ATTAQUÉ DES PASSAGERS DANS UN TRAIN.

... et puis... Il a crié Allah Akbar...

L'auteur de cette attaque est toujours activement recherché.

BREAKING NEWS // ATTAQUE DANS UN TRAIN LONDRES-BRIGHTON.

Il est passé devant moi...

Selon nos dernières informations, l'assaillant serait un jeune afghan...

demandeur d'asile de dix-sept ans hébergé dans un foyer pour mineurs...

J'ESPÈRE JUSTE QUE PERSONNE VA VENIR NOUS CASSER LES VITRES.

PFFF... C'EST PAS BON POUR NOUS, ÇA.

ÇA FAIT 1£.

OH ? PETIT ?

ÇA FAIT 1£.

... la police aurait retrouvé un drapeau de l'État islamique dans la chambre du suspect...

... C'EST PAS BON POUR NOUS, ÇA...

PETIT...

HÉ PETIT !

TA BOU-TEILLE !!

A A A